Elli Woollard comenzó a escribir cuentos tras un incidente embarazoso en el que su hijo mayor le rompió las gafas a Michael Rosen. Tras haber escrito previamente poesía y cuentos ilustrados, incluyendo el aclamado «The Giant of Jum», «Bucanera Lil, la pirata secreta» es su primer libro para niños que ya leen solos.

Laura Ellen Anderson lleva dibujando desde que tiene uso de razón. De niña estaba convencida de que sus cómics serían un éxito de ventas, ¡aunque cuando ha vuelto a leerlos ha comprobado que no tienen ningún sentido! Ahora es una consumada escritora e ilustradora, y le encanta dar vida a los cuentos a través de sus dibujos.

ELLI WOOLLARD
Bucanera Lil
La Pirata Secreta
ILUSTRADO POR LAURA ELLEN ANDERSON

ediciones
FORTUNA

BUCANERA LIL, LA PIRATA SECRETA
Una publicación de Ediciones Fortuna
www.edicionesfortuna.com
www.facebook.com/edicionesfortuna

Swashbuckle Lil, the Secret Pirate
First published 2016 by Macmillan Children's Books
an imprint of Pan Macmillan

Traducción: Jaime Valero Martínez

ISBN: 978-84-946177-0-6
Materias IBIC: YFC-YFU-5AG
Depósito legal: BI-286/2017

Impreso en España

Para Thomas y Oscar
E.W.

Para Gill y Matt,
¡compañeros de
fatigas y cafés!
L.E.A

La Pirata Secreta

1

Cuando Lil estaba en el colegio,
nadie, pero nadie, se podía imaginar
que no era una niña normal y corriente,
y que tras esa apariencia tan convencional...

Lil era una bucanera,
una pirata sin igual,
que vivía en un barco con grandes velas,
surcaba los mares en medio de vientos y tempestades
y cabalgaba las olas entre ballenas y otros animales.

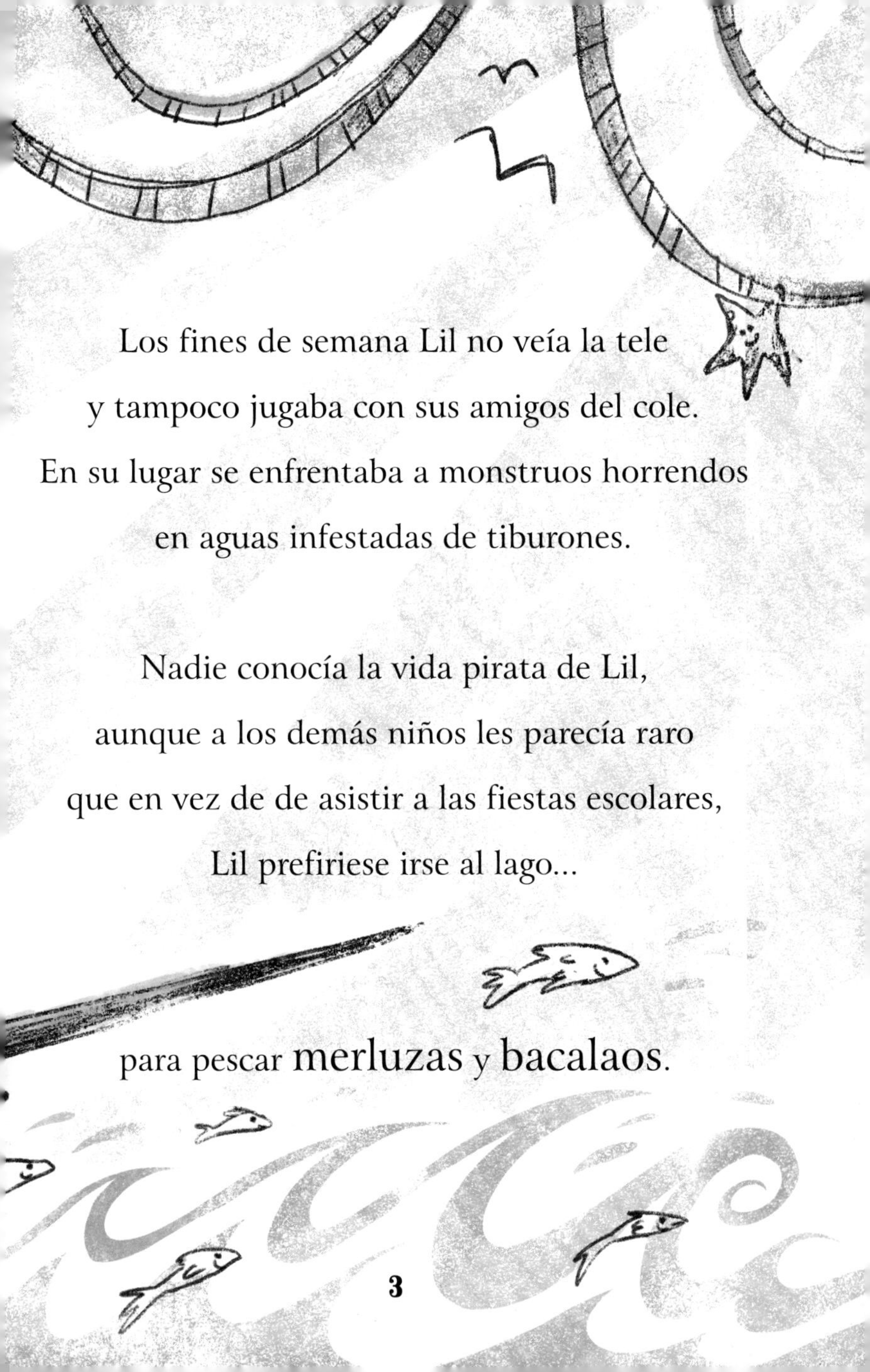

Los fines de semana Lil no veía la tele
y tampoco jugaba con sus amigos del cole.
En su lugar se enfrentaba a monstruos horrendos
en aguas infestadas de tiburones.

Nadie conocía la vida pirata de Lil,
aunque a los demás niños les parecía raro
que en vez de de asistir a las fiestas escolares,
Lil prefiriese irse al lago...

para pescar merluzas y bacalaos.

Y ese ruido en la mochila de Lil...

¿qué diantres sería?

¿Un crujido?

¿Un susurro?

¿Un graznido?

O quizás fueran imaginaciones mías,

¡porque las mochilas no hacen ruido!

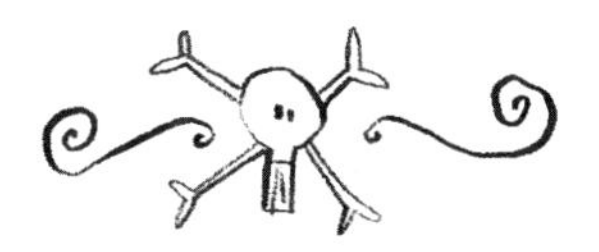

A veces Lil perdía la noción del tiempo,
mientras se sentaba a contemplar el cielo,
y cuando su profe, la señorita Gañán, le decía «¿Lil?»,
ella gritaba «¡Ah, del barco!» y se quedaba tan feliz.

«Lil», dijo la señorita Gañán, «¡deja ya de soñar!
¡No olvides que estás aquí para aprender y estudiar!
¡Los piratas no existen! Y ha llegado el momento ya
de que te comportes como una alumna ejemplar».

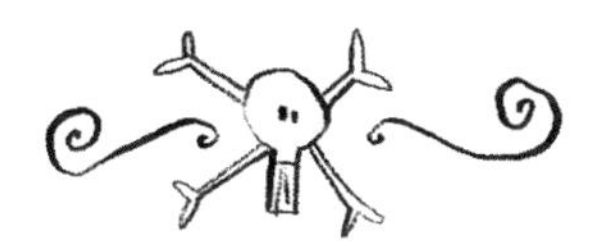

A Lil no le gustaba pasarse todo el día sentada.

Las clases en el cole le resultaban muy pesadas.

Hasta que un día apareció un papel sobre su mesa,

¡y en él había dibujada... una **calavera**!

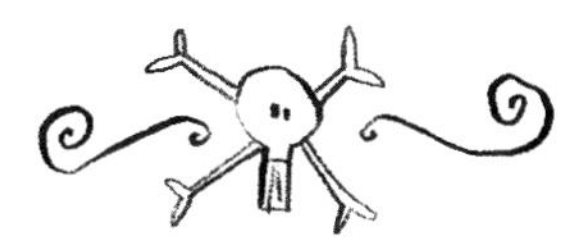

Lil se estremeció y pensó para sus adentros:

«¡Se avecinan problemas, lo presiento!

¡Ya sé quién ha pintado esto! ¡El muy malandrín!

¡Es el temible Barbarrancia, que viene a por su botín!».

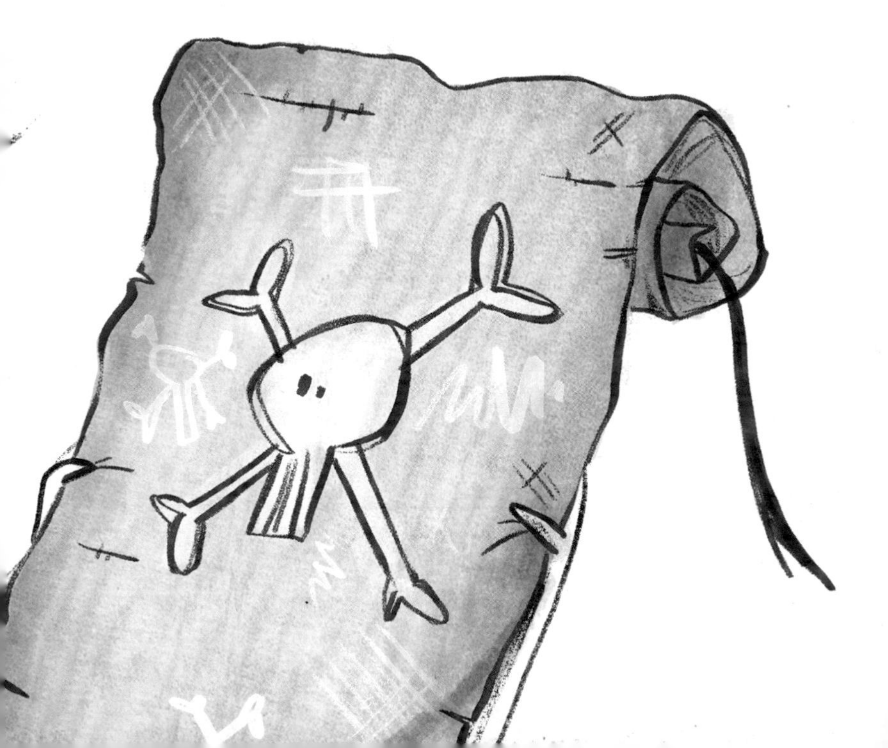

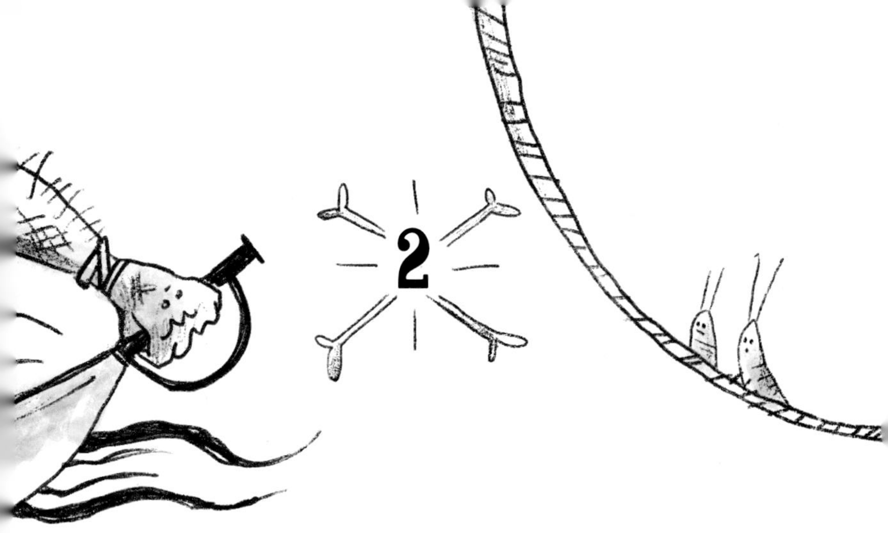

Barbarrancia era temido por todos los piratas

y NUNCA se había portado bien.

Estaba cubierto de pulgas de la cabeza a las patas

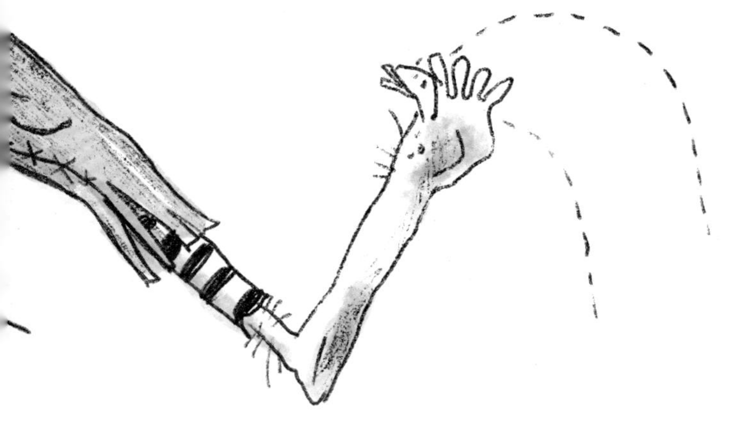

y tenía piojos hasta en las uñas de los pies.

En la barba tenía moho con años de antigüedad,

también manchas de lodo salido del fondo del mar.

Se dedicaba al robo y al secuestro,

a la traición

y al saqueo,

y con esos delitos había ganado mucho dinero.

Lil contempló el papel. «¡Qué bandido!», exclamó.

«¿A qué habrá venido el viejo Barbarrancia?

Trame lo que trame, detendré a ese canalla.

Sobre eso no hay discusión».

«¡Señorita Gañán!», gritó Lil. «¡Mire por la ventana!
¡Hay un pirata malvado que asoma como si nada!».
Pero la profe le dijo: «¡Cállate y deja de moverte!
¡No hay ningún pirata malvado, no te lo inventes!».

A la hora del recreo, la profe la dejó castigada.

«Escribirás “Debo decir la verdad”

cien veces en la pizarra».

Lil le susurró a Zanahorio, su fiel loro colorado:

«Busca a Barbarrancia y síguelo a todos lados.

El muy rufián habla solo.

Farfulla sin parar todo el día.

Así que ve a espiar lo que dice.

¡Que no haga ninguna tontería!».

TIC
TAC
TIC
TIC
TAC
TAC
TIC

3

Lil esperó a que volviera Zanahorio.

Pasaron los minutos sin que apareciera el loro.

¿Habría encontrado a Barbarrancia? ¿Estaría allí?

Y en ese caso, ¿qué le habría oído decir?

Barbarrancia era famoso por sus fechorías.

Incluso atracó un banco, ¡hay que ver qué osadía!

¿Y qué haría ahora? ¿Secuestrar a su pandilla?

¿O se llevaría a los alumnos

y los pasaría por la quilla?

De repente, Lil oyó susurrar a su loro,

pero la profe se acercó a ella torciendo el morro.

«¡No es hora de divertirse, hay trabajo que hacer!

¡Se acabó el recreo!

¡Siéntate de una vez!».

¿Qué podía hacer Lil? Tenía que salir afuera,

pero no creía que la señorita Gañán se lo permitiera.

Debía darse prisa, no había tiempo que perder.

Si se retrasaba mucho, cualquier cosa podría suceder.

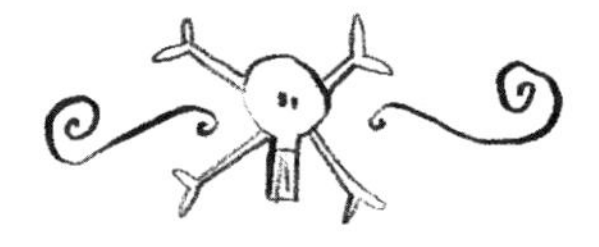

«¡Seño!», gritó Lil. «¡Hay una avispa en la clase!
O quizá sea un abejorro. ¡Quién sabe!
¡Allí! ¡Mire! ¡Está encima de esa silla!
Y ahora ha entrado otra.
¡Menuda pesadilla!».

Comenzaron los gritos, las voces y los chillidos.
Un niño incluso lloró a moco tendido.
Y mientras sus compañeros huían
de las avispas imaginarias,
Lil salió de la clase
sin que nadie se enterara.

«¡Doblones de a ocho!», graznó Zanahorio el loro.

«¡Date prisa, Lil, que el tiempo es oro!

Barbarrancia planea secuestrar a tu profesora,

y para impedirlo hay que marcharse ahora».

«¡Al rescate!», le gritó Lil a Zanahorio.

«¿Dónde se esconde Barbarrancia?»,

le preguntó a su loro.

«¡No podemos permitir

que secuestre a mi profesora!».

Pero Zanahorio se limitó a rascarse la cocorota.

Lil buscó

y olisqueó,

y siguió oliendo

y buscando.

«¿Dónde se habrá escondido?

En alguna parte tiene que estar metido.

¡Deprisa! ¡Sigue el olor de ese bandido!».

En todos los lugares por los que pasaba Barbarrancia,

dejaba una peste horrible a modo de fragancia.

Lil siguió su rastro con mucha valentía,

¡pero por más que buscaba, el granuja no aparecía!

¿De quién sería esa sombra
que avanzaba furtivamente?
¡Seguro que era la de ese delincuente!
«Debo capturarlo», susurró Lil, «pero ¿cómo?
¡Me pegaré a él como si fuera un cromo!».

Unas niñas saltaban a la comba y Lil se la quitó.
«¡Oye!», le gritaron. «¡No te lleves la diversión!».
Y Lil respondió: «La tomo prestada, ya os la devolveré,
pero ahora hay un pirata al que tengo que detener».

«¡Arrrrrr!»,

gritó Lil cuando lanzó la comba,

y amarró a Barbarrancia como si fuera una soga.

«¡No podrás escapar por mucho que lo intentes!

No tienes esperanza, así que no te esfuerces».

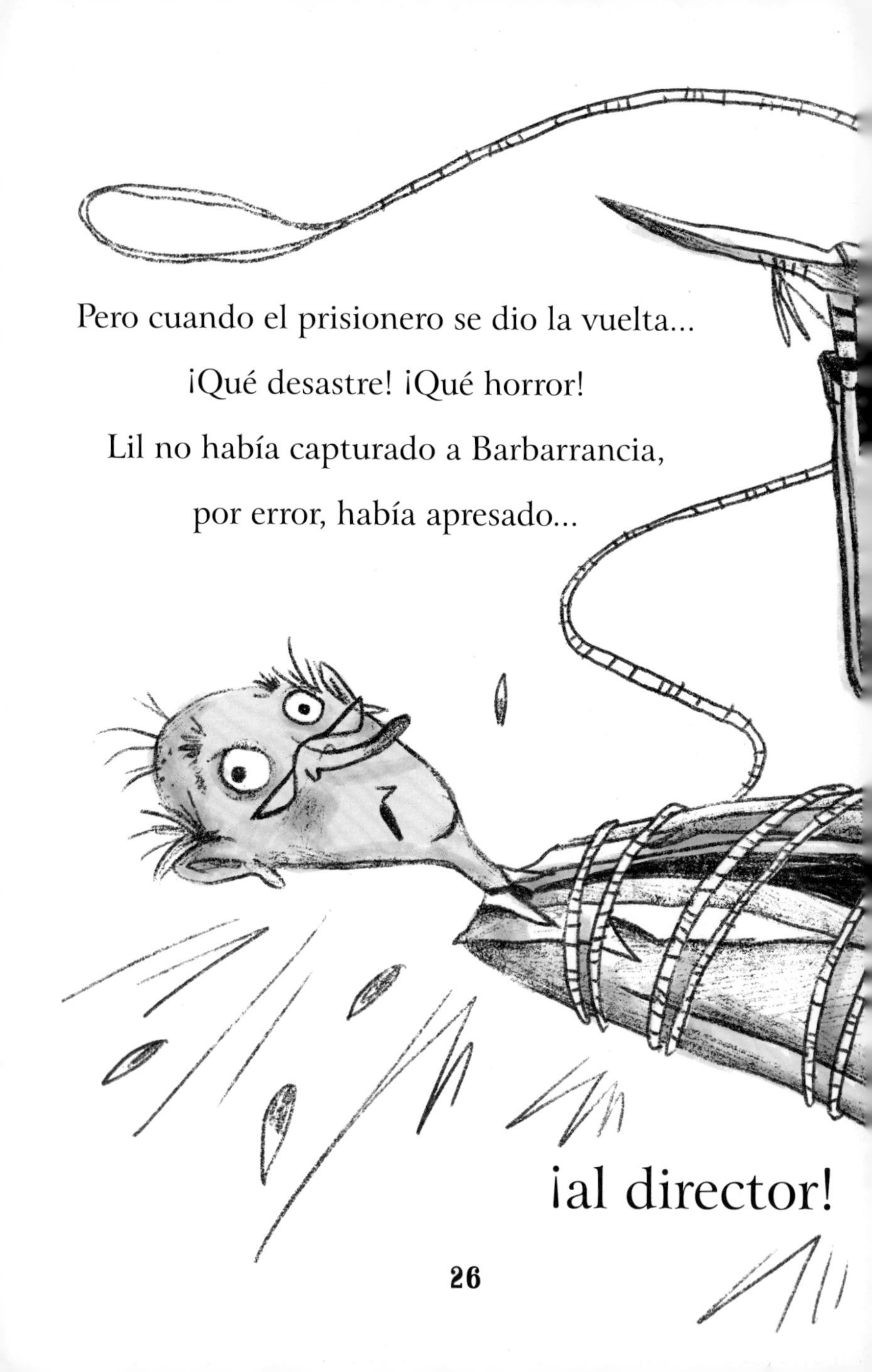

Pero cuando el prisionero se dio la vuelta...

¡Qué desastre! ¡Qué horror!

Lil no había capturado a Barbarrancia,

por error, había apresado...

¡al director!

«¡Uy!», murmuró Lil. «He cometido un fallito.
Le puede pasar a cualquiera, tampoco es un delito.
Pero si me disculpa, a un pirata estoy persiguiendo,
así que, señor director, debo marcharme...

¡CORRIENDO!».

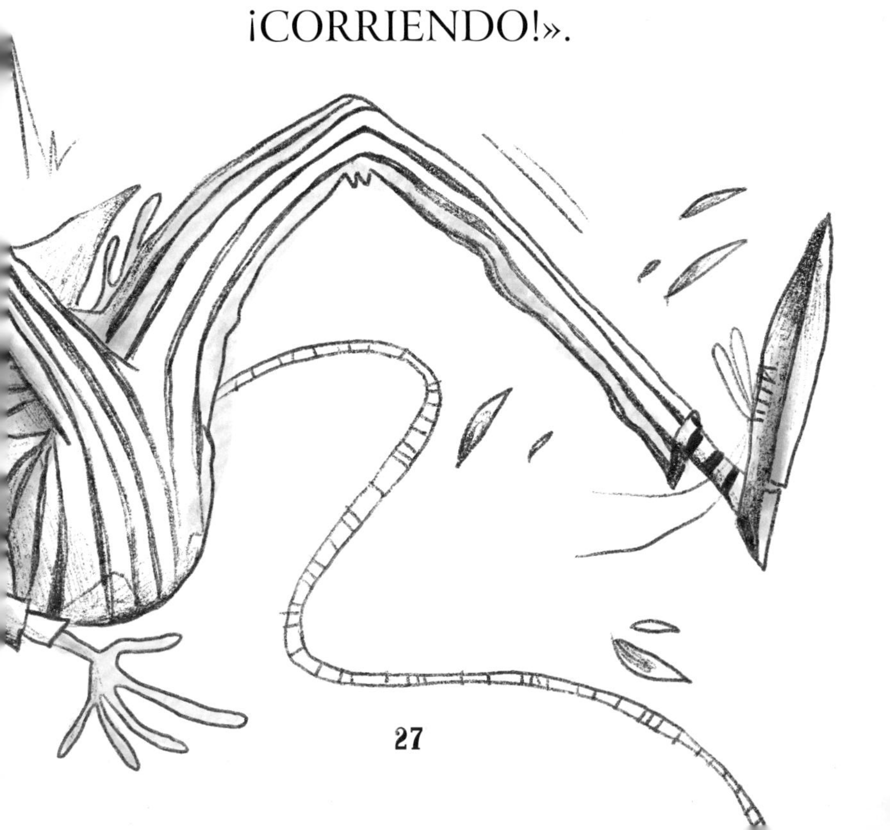

5

Lil se subió a un árbol sin perder un momento,

lo hizo a toda pastilla, veloz como un pensamiento.

El Director echaba chispas y dijo

A GRITO PELADO:

«¡Vuelve aquí, Lil, menuda la que has preparado!».

Un momento. ¿Qué era eso, en lo alto?

Lil apartó las hojas y se quedó observando.

Era una cosa erizada, mugrienta y desaseada;

pero no era un pájaro, ¡se trataba de una...

... barba!

«Te pille», gritó Lil.

«Ni se te ocurra secuestrar

a la señorita Gañán.

¡Eres un marinero de agua dulce

y además hueles muy **mal**!

Y, por cierto, que no se me ha olvidado,
esa barba roñosa necesita un buen lavado».

Barbarrancia fulminó a Lil con la mirada
mientras esbozaba una sonrisa desdentada.

«¿Es una niñita mona esto que veo?
¡Te llevaré a mi casa como trofeo!».

«¡Jamás!», gritó Lil. «Vete de mi colegio.
¡Eres un hombre malo y además eres muy feo!
¿Crees que puedes atraparme? ¡Te reto a intentarlo!
Si eres tan rápido, tendrás que demostrarlo».

Y al grito de «¡Al abordaje!», Lil saltó del árbol,
con la suerte de que había una cama elástica debajo.
Lil rebotó por los aires y aprovechó la subida
para pegar tres volteretas,
las hizo las tres seguidas.

Lil corrió por el patio y atravesó el colegio

como una centella.

Mientras Barbarrancia la seguía de cerca.

«Necesito ir más deprisa», pensó Lil,

«para que todo vaya sobre...

...ruedas».

El carrito tenía

la comida del comedor;

había pizzas, ensaladas y tartas a mogollón.

Lil se montó sin dudarlo.

¡Qué rápido iba!

¡Con qué desenfreno!

Entonces Zanahorio graznó:

«¡Socorro! ¡No tiene frenos!».

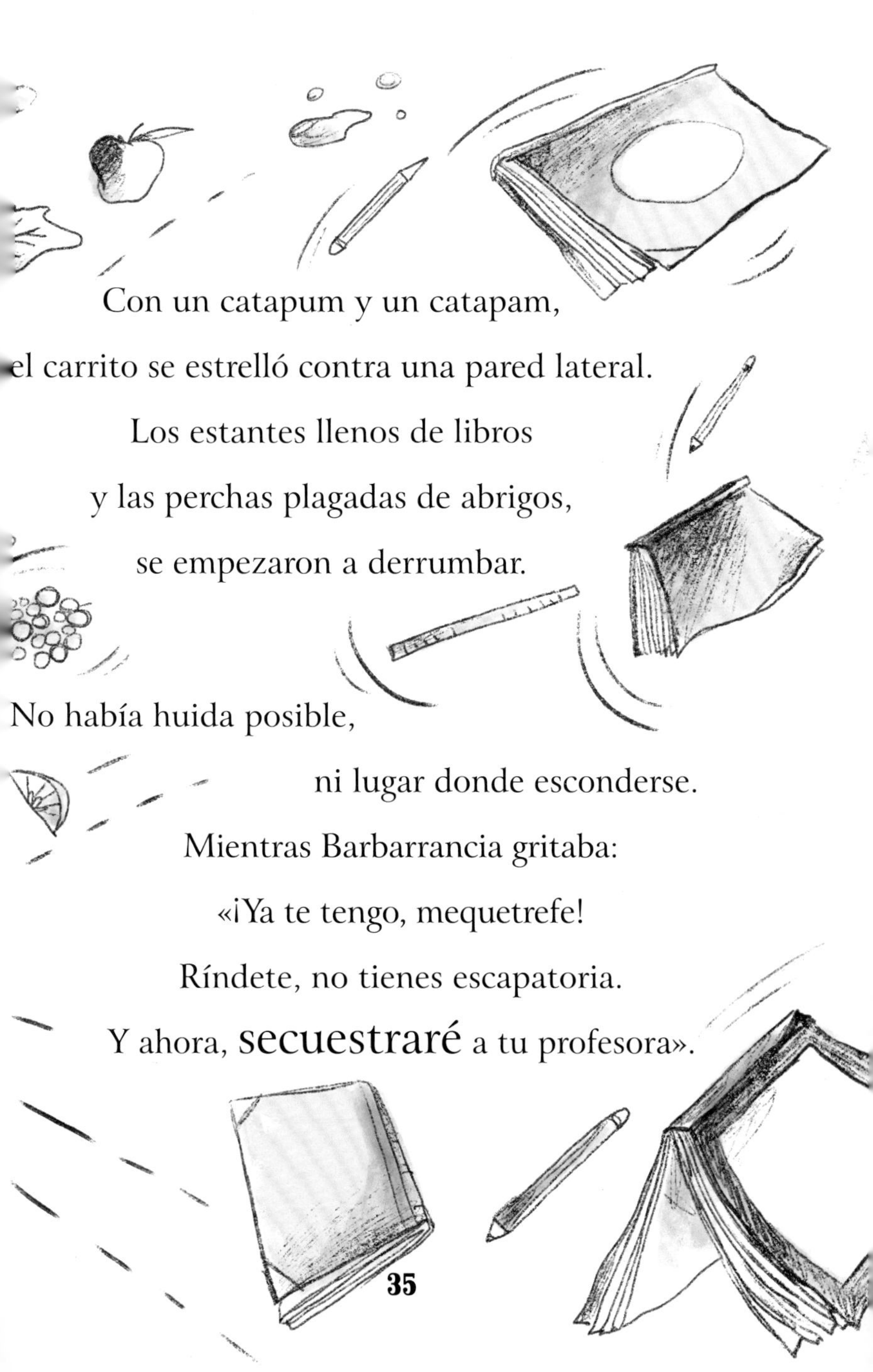

Con un catapum y un catapam,

el carrito se estrelló contra una pared lateral.

Los estantes llenos de libros

y las perchas plagadas de abrigos,

se empezaron a derrumbar.

No había huida posible,

ni lugar donde esconderse.

Mientras Barbarrancia gritaba:

«¡Ya te tengo, mequetrefe!

Ríndete, no tienes escapatoria.

Y ahora, secuestraré a tu profesora».

6

«Conseguiré un botín fabuloso,
en cuanto pida un rescate.
Y no liberaré a la profe
hasta que el director me lo pague.
¡Por fin nadaré en la abundancia!»,
dijo Barbarrancia.

«¿Lo ves? ¡Soy el más listo de los dos!
¡Ay, pobre niñita, aquí soy yo el vencedor!».
«¿Tú crees?», dijo Lil. «¡Ahora verás, viejo adefesio!».
Y comenzó a bombardearlo con la comida del colegio.

Las porciones de pizza hicieron *¡fiuuu!* por los aires,
dejando manchas de kétchup por todas partes.
«¡Socorro! ¡Auxilio!», gritó Barbarrancia,
cuando un pegote de natillas le hizo *¡chof!* en la cara.

Tenía la coronilla empapada de salsa,

y huevos en los ojos que no le dejaban ver nada.

«¡Déjame en paz! ¡Menuda pesadilla!

¡Estoy cubierto de hamburguesas y empanadillas!».

«Promete que no secuestrarás a la profe», dijo Lil,

«aunque seas un pirata feo, malvado y ruin».

Y mientras Barbarrancia huía, Zanahorio bajó del cielo

y le llenó de picotazos, *pec, pec, pec,* el trasero.

«¡Uf!», dijo Lil. «La victoria está asegurada.

Creo que nos hemos ganado echar una cabezada».

Pero entonces se agachó con el ceño todo fruncido.

«¡Mira, es un mapa! ¡Lo dejó caer el bandido!».

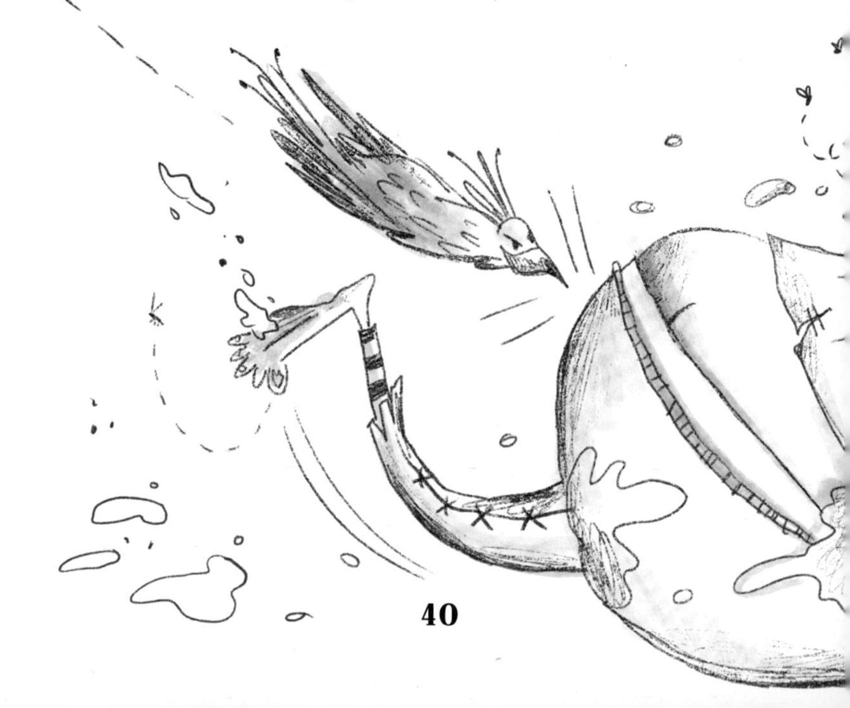

«¡Un tesoro!», exclamó Lil. «¡Y la X marca el lugar!
Espero que allí haya algo digno de encontrar.
Está muy cerca de aquí, al lado de ese rosal.
¡Vamos, Zanahorio, pongámonos a excavar!».

Lil excavó entre las flores durante una eternidad,
hasta que encontró un barril que pesaba una barbaridad.
Y le dijo a su amigo: «¡Al loro, Zanahorio,
dentro de este cofre hay un manjar!».

Pero ¿de quién eran las pisadas
que, *pum, pum, pum*, se acercaban?
¡Era la señorita Gañán, que estaba muy enfadada!
«¡Vuelve a clase, Lil, hoy estás castigada!».

«¡Pero si la he salvado!», protestó Lil,

«¡de un pirata malvado y vil!».

Pero la profe le dijo: «No, te has portado fatal.

Ve a sentarte y no te vuelvas a levantar.

Y dime, ¿cuánto es veinte más cuarenta?».

«¡Jo!», protestó Lil cuando regresó a su asiento.
«¡La señorita Gañán no sonríe ni queriendo!
Si no fuera porque soy buena diría
que se merece un buen escarmiento».

«Pero soy una pirata, una pirata buena,
y cuando alguien está en peligro,
corro a salvarlo como sea.
¡Soy muy valiente y nadie me frena!».

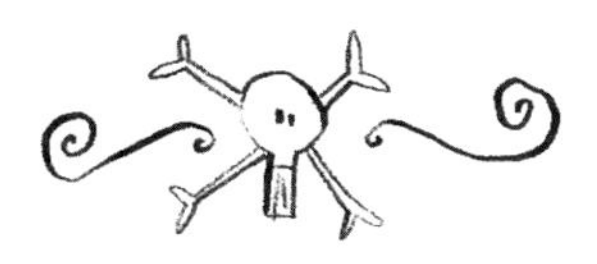

Así que Lil se sentó a hacer sus tareas,

y aunque nadie, pero nadie, lo sepa,

Lil es una bucanera intrépida,

y todas sus aventuras son ciertas.

¡Cocodrilo a la vista!

1

Cuando la señorita Gañán dijo:

«Chicos, hoy toca gimnasia»,

nadie, pero nadie, pensó

que en cuestión de ejercicio

Lil era, sencillamente...

LA MEJOR.

Lil era una bucanera, una pirata sin igual,

que llevaba media vida navegando por el mar.

Se le daba bien saltar,

perseguir,

correr,

nadar,

y todo lo hacía a gran velocidad.

Podía esconderse en su camarote,

podía trepar a los árboles,

y podía navegar con ballenas y cachalotes.

Sabía lanzar, sabía recoger,

y cuando competía, no solía perder.

Así que cuando sus compañeros salieron de clase,

Lil gritó: «¡Vamos allá, mis valientes!».

Aunque hacer gimnasia no fuera tan divertido

como enfrentarse a un tiburón

con grandes dientes.

«Niños», dijo la profe, «salid con cuidado,

y no olvidéis darle la mano al de al lado.

¡Venga, niños, por aquí! ¡Lil, hazme caso!

¿Se puede saber por qué te has

manchado tanto?

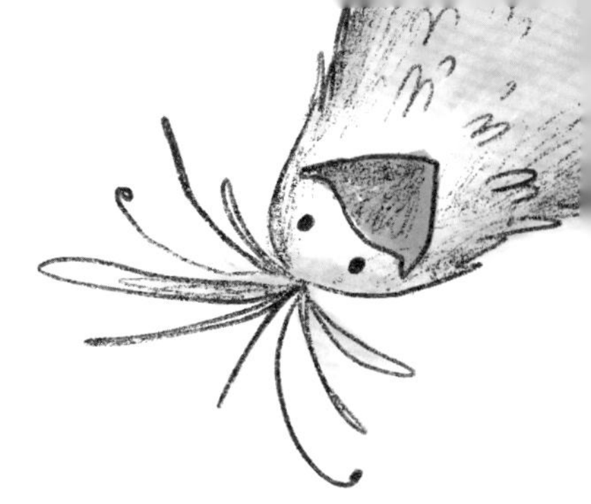

Cruzad en verde. Caminad por la derecha.

¡No habléis! ¡No cuchicheéis!

¡No deis tanta guerra!

¿Y era un niño o un pájaro eso que he oído?

¡Me ha parecido que era un graznido!».

Llegaron al parque y la señorita Gañán dijo:

«¡Niños, ha venido la alcaldesa!

Ella entregará los premios.

¡Qué agradable sorpresa!».

Los alumnos aplaudieron

con mucho entusiasmo.

Pero Lil no estaba atendiendo, y se sentó junto al lago,
mientras soñaba con los trofeos que había ganado.
Entonces vio en la pradera, cerca de sus compañeros,
una sonrisa horrible que daba muy mal agüero.

«Qué cachorrillo tan raro», pensó Lil para sus adentros.
De repente se dio cuenta y el corazón le dio un vuelco.
Pues lo que estaba viendo no era un cachorrillo,
sino un malvado y glotón...

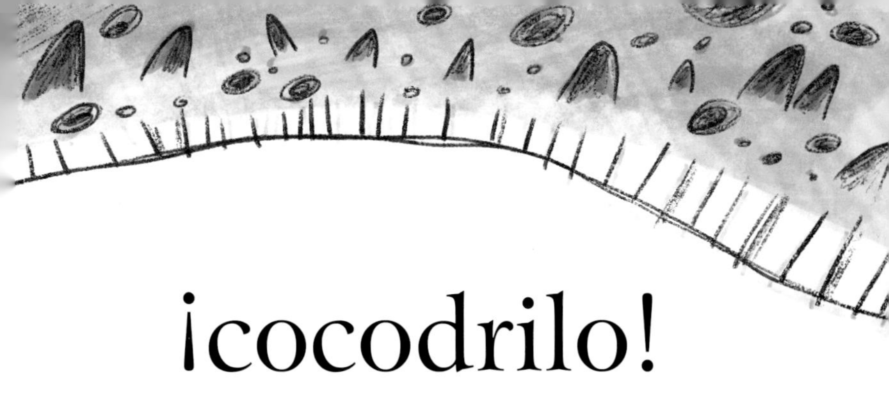

¡cocodrilo!

Sus ojos parecían de cristal,

sus dientes y sus garras parecían cuchillos.

«¡Seguro que es la mascota de algún pirata malvado!

¡Sí, ese truhan de Barbarrancia

parece que ha regresado!».

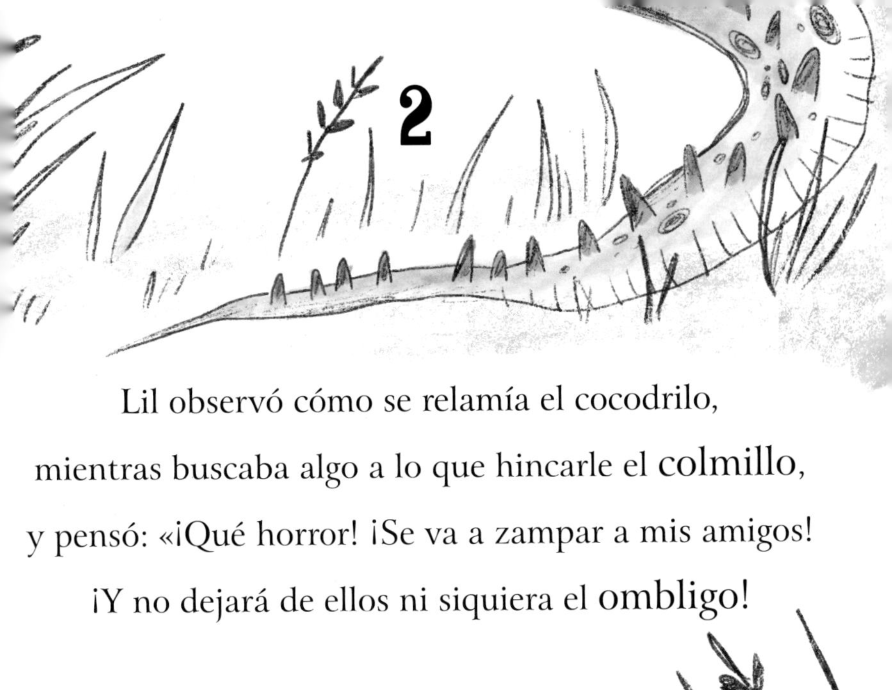

2

Lil observó cómo se relamía el cocodrilo,

mientras buscaba algo a lo que hincarle el colmillo,

y pensó: «¡Qué horror! ¡Se va a zampar a mis amigos!

¡Y no dejará de ellos ni siquiera el ombligo!

¡Les pegará un mordisco!

¡Una dentellada!

¡Los hará puré con esas fauces afiladas!

Y entonces el cocodrilo pensará:

"¡Ñam, ñam! ¡Niños humanos!".

¡Y los devorará a todos de un solo

bocado!».

«No sé qué estará tramando Barbarrancia,
pero está claro que quiere vernos en una ambulancia.
Descubriré su plan y haré lo que pueda
para detener a ese rufián y a su mascota traicionera».

Pero cuando Lil pensó en
seguir al cocodrilo,
la señorita Gañán gritó: «¡Lil, ven aquí!
Vamos a empezar el circuito.
¡Venga, date prisa!
¿Te ha quedado
clarito?».

«Estas son las reglas: aléjate del lodo,

no trepes a los muros y no seas traviesa.

Tampoco hagas trampas, y sé amable con la alcaldesa.

¿Podrás acordarte de todo?».

«Quizás», respondió Lil.

La profe frunció el ceño: «Llegó la hora, niños.

¡En vuestras marcas! ¡Tomad aire!

¡Estad atentos!».

Y entonces alguien

graznó:

¡ESPERAD UN MOMENTO!

Los niños salieron corriendo, pero enseguida se pararon.
Se rascaron la cabeza sin entender qué había pasado.
«Bien hecho», le dijo Lil a su fiel amigo,
ya que Zanahorio había evitado que los niños
se acercasen demasiado al cocodrilo.

3

Cerca del estanque había una zona para escalar,

tan alta que daba miedo desde abajo.

Pero Lil pensó: «Desde allí veré todo con claridad.

Subír no me llevará mucho trabajo».

Lil empezó a trepar y trepar,
hasta que no pudo subir más.
Y desde allí pudo ver, entre las hojas,
a Barbarrancia hablando con su mascota.

«¡Ajá!», exclamó Lil, «ya he llegado arriba,
desde aquí podré oír todo lo que se digan».
Lil se quedó quieta y prestó atención,
y esta fue la conversación que escuchó:

«Dientecitos, amigo, escucha mi plan:
¡Debes ser valiente, osado y audaz!
Zámpate a esos niños,
no a uno, sino a **todos**,
y cuando hayas terminado
robaremos esos trofeos de oro».

«¡Esto es la guerra!», gritó Lil.

«¡Que dé comienzo la batalla!

Cuando Barbarrancia sepa que estoy aquí,

¡huirá si las piernas no le fallan!».

«Zanahorio», susurró Lil. «¡Ataca!
Apunta a la cabezota de ese malvado pirata».

...dijo Lil, gritando.

«¡Te tengo, ya deberías estar temblando!».

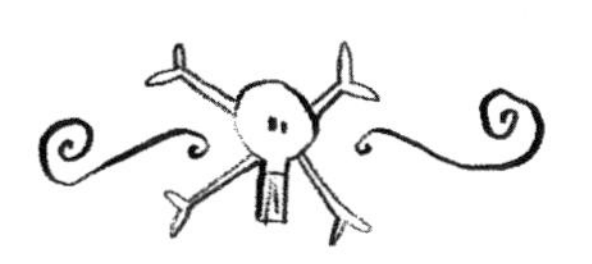

Zanahorio se lanzó en picado sobre los bandidos,
pues él nunca duda cuando ataca.
«¡Al fin!», gritó Lil. «¡Os daremos vuestro merecido!
¡Zanahorio, dispárales con tu caca!».

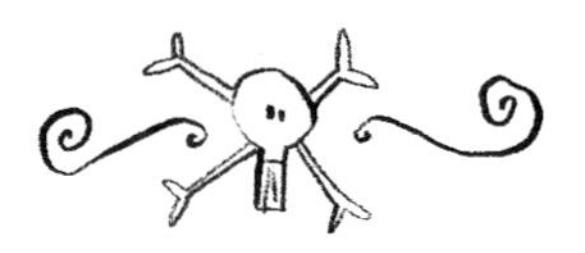

«¡Barbarrancia, rufián!», gritó Lil.

«¡Eres una criatura malvada y vil!

¡Me das risa! ¡Eres un patán!».

Entonces sopló una brisa,

y la caca aterrizó encima...

¡de la señorita Gañán!

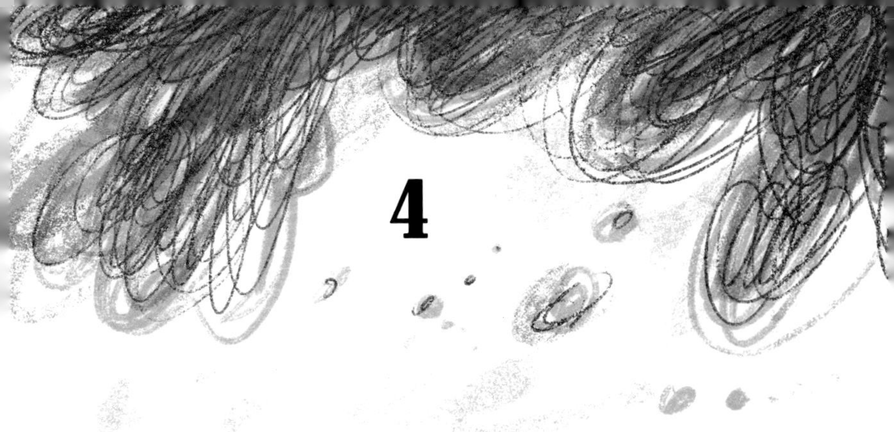

4

«Ven aquí ahora mismo», le gritó la profesora a Lil, mientras los restos de caca le corrían por la nariz. La señorita Gañán estaba manchada de arriba abajo:

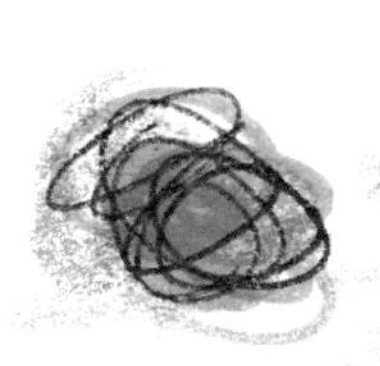

¡el pelo, el bolso
y la ropa de trabajo!

«Lil», dijo, «se acabaron los cuentos.
¡Esta vez te has ganado un escarmiento!
Te dejé muy clarito que aquí no se juega,
así que quedas expulsada de la carrera».

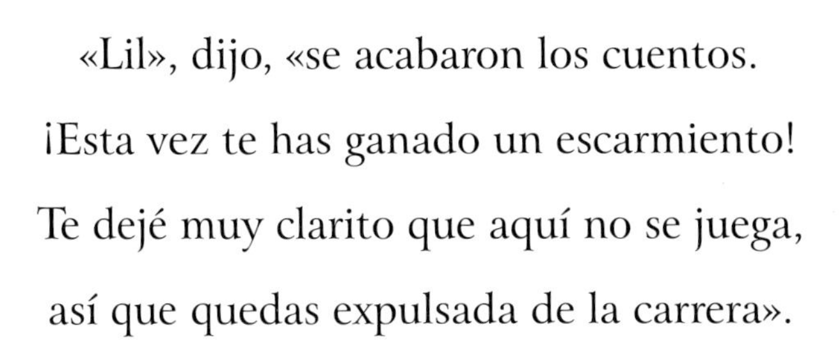

«¡Hmmff!», murmuró Lil. «Ella dirá lo que quiera,
pero a mis amigos no los devorará esa fiera.
Si hay algo que tengo muy claro
es que no me quedaré de brazos cruzados».

Lil se quedó sentada mientras sus amigos corrían,
algunos de ellos gritaban y otros aplaudían.
Pero ¿qué era ese ruido? No lo hacían los niños.
Tenía toda la pinta de ser una serie de...

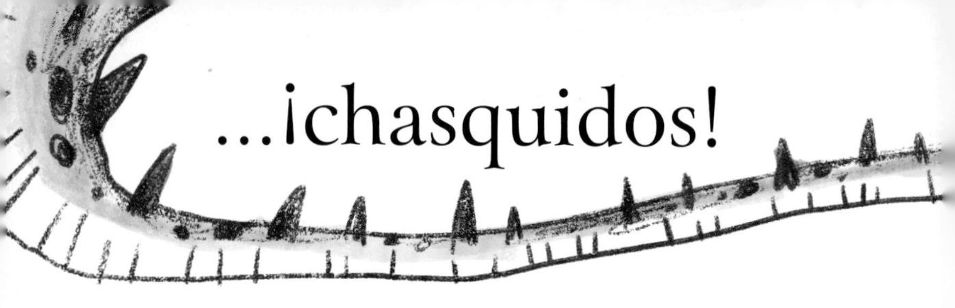

...¡chasquidos!

¿Adónde podía ir Lil? ¿Qué podía hacer?

¡No había un momento que perder!

¡Ahí estaba el cocodrilo!

Y a Lil le hizo *pum, pum,* el corazón

cuando el monstruo le lanzó un guiño.

Y Zanahorio graznó: «Llénale bien la barriga

antes de que llegue hasta tus amigos y amigas.

¡Está babeando! ¡Está hambriento!

Aunque a lo mejor se conforma...

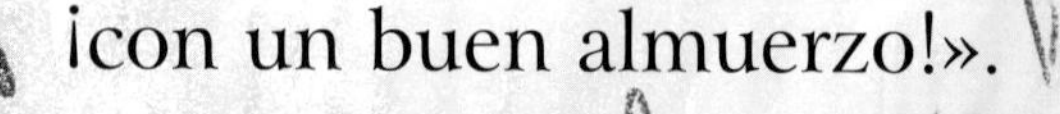

¡con un buen almuerzo!».

Lil se tiró al suelo y salió a buscar comida,
con el sigilo de una cazadora furtiva.
En el suelo encontró la merienda de su clase,
y vio que tenía muchas cosas saludables.

Había apio, lechuga y queso fresco,

tomates pequeños y pan de centeno.

El cocodrilo enseguida se lo zampó,

después torció el morro...

¡y con cara de asco lo escupió!

Lil se puso entonces a buscar más comida.

El almuerzo de la alcaldesa tenía buena pinta.

Había enormes salchichas y patatas fritas,

también pastelitos y otras cosas parecidas.

Y Lil pensó: «Esto no es robar.

Son mis amigos y les tengo que salvar».

«¡Cocodrilo!», lo llamó y el monstruo giró la cabeza.

«Acércate a probar esta tarta de frambuesa».

El cocodrilo sonrió con ansia y se lo comió todo,
masticando, tragando y sorbiendo.
Con la barriga llena, se quedó tan contento,
y entonces abrió la boca para soltar...

...¡un eructo
tremendo!

¡BURP!

Y justo cuando Lil pensó

que al fin estaban a salvo,

la señorita Gañán dijo:

«¿A qué viene tanto escándalo?».

Y no vio las garras ni los dientes del cocodrilo,

sino la basura que se había acumulado en el sitio.

«¡Uy!», murmuró Lil. «Ha quedado todo muy sucio,

pero usted siempre dice que limpiar es divertido,

así que dejaré que lo limpie junto con mis amigos.

Mientras yo... mejor...

me doy el PIRO».

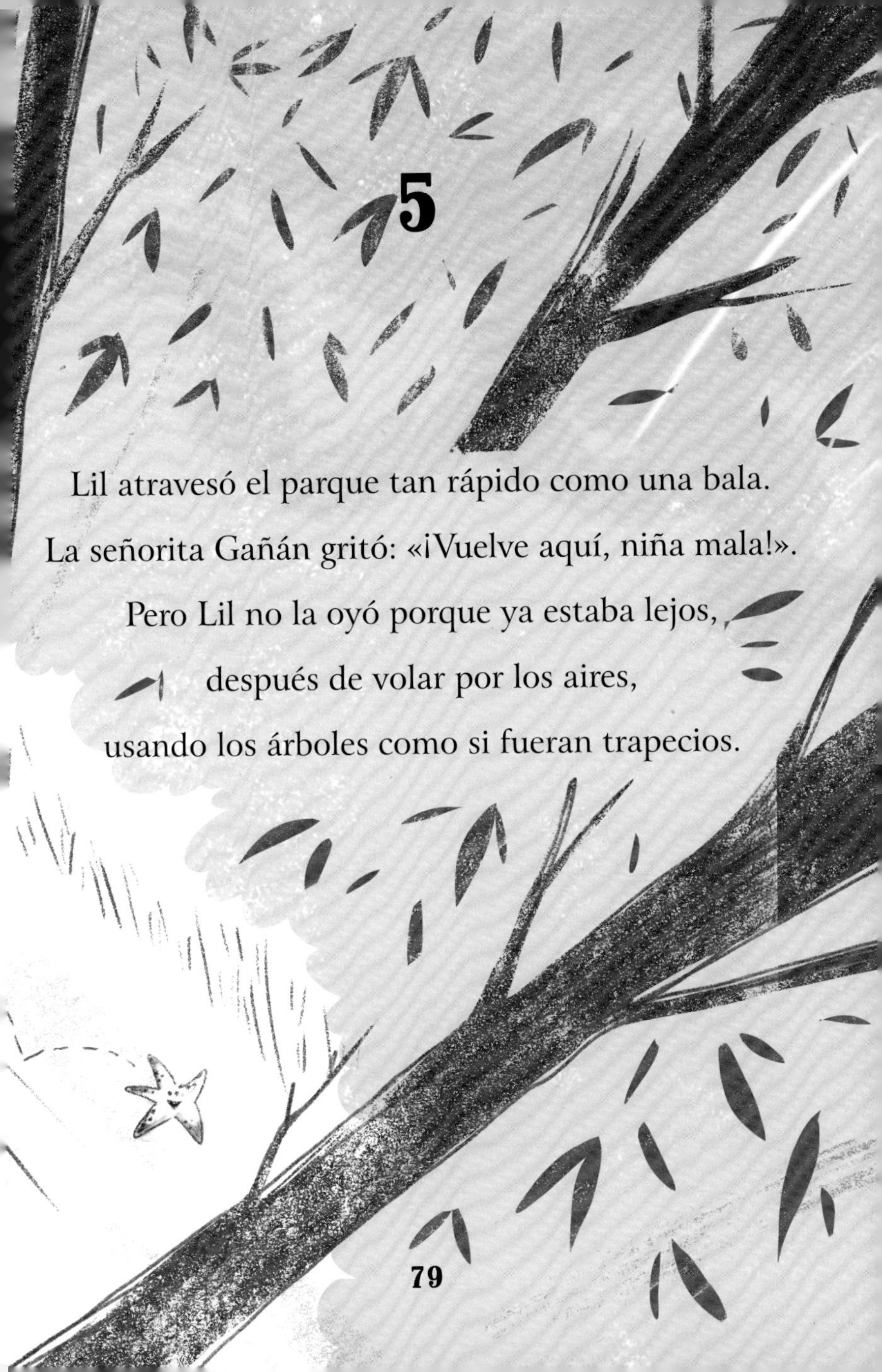

5

Lil atravesó el parque tan rápido como una bala.

La señorita Gañán gritó: «¡Vuelve aquí, niña mala!».

Pero Lil no la oyó porque ya estaba lejos,

después de volar por los aires,

usando los árboles como si fueran trapecios.

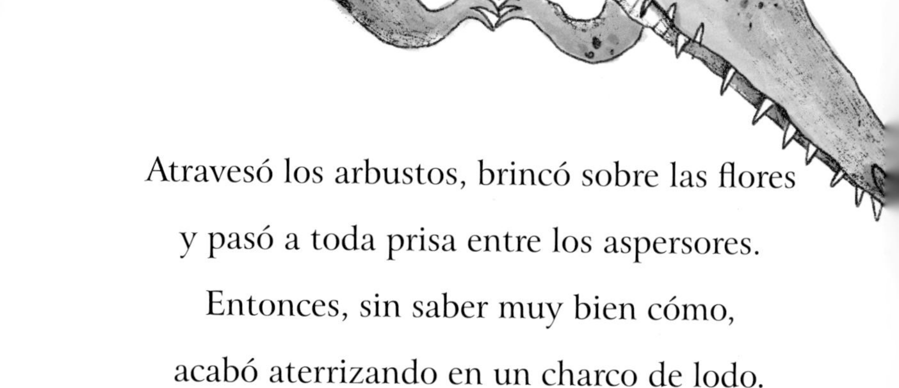

Atravesó los arbustos, brincó sobre las flores
y pasó a toda prisa entre los aspersores.
Entonces, sin saber muy bien cómo,
acabó aterrizando en un charco de lodo.

Se quedó cubierta de barro de los pies a la cabeza.
«¡Jo!», murmuró Lil, «¡hay que ver qué torpeza!».
Pero podía darle una ventaja, quizá,
ya que todo ese barro le serviría como disfraz.

«¡Uf!», murmuró Lil, mientras se limpiaba.

Pero, de pronto, escuchó un gruñido.

¡Y también olió

un extraño

TUFILLO!

¡Era Barbarrancia, que aún no se había ido!

Con un sonoro «¡Arrr!», Lil salió del charco, dejando a su paso un sucio rastro de barro.

«¡Filibustero! ¡Delincuente!

¡Bandido! ¡Maloliente!

¡Esta vez te echaré

el LAZO!».

Barbarrancia se puso pálido y gritó.

Le temblaron las canillas del susto que se llevó.

«¡Un monstruo!», exclamó. «¡Socorro, Dientecitos!».

Y salió huyendo del parque seguido de su cocodrilo.

«¡Rayos y centellas! ¡Lo he conseguido!», gritó Lil.

«Espero que no vuelva nunca ese caco».

Entonces Lil dijo: «¡Ay, cielos, que viene la profe!».

Y se metió a toda prisa en un saco.

6

La jornada deportiva estaba terminando,

solo faltaba por celebrarse una carrera de sacos.

¿Quién sería el último? ¿Y quién el primero?

¿Quién sería el más rápido y quién el más lento?

¡Sonó el silbato!

Los niños empezaron a brincar colina arriba.

Pero ¿de quién era el saco que iba primero en la fila?

¡Pues claro que sí! La ganadora fue...

«¿¡Qué!?», chilló la señorita Gañán.

«Esta niña es como un demonio,

no se porta bien y es todo un incordio.

Lil es maleducada y enredadora.

Creo que no merece ser la ganadora».

«Ya veo», dijo la alcaldesa,
«que está toda cubierta de barro,
pero estoy segura de que solo estaba jugando.
Lil ha sido la mejor, ha vencido al resto,
y por todo eso, merece ganar el trofeo».

«¡Arrr!», le dijo Lil a su fiel loro.

«Parece que hemos conseguido un tesoro.

No existe un botín igual en toda la ciudad,

¿no es así, Zanahorio, mi amigo leal?».

Así Lil regresó a sus clases en la escuela,

y aunque nadie, pero nadie, lo sepa,

Lil es una **bucanera** intrépida,

y todas sus aventuras son **ciertas.**

Y no te pierdas...